Gilbert **Delahaye** ◆ Marcel **Marlier**

mar

Un amour de poney

casterman

C'est les vacances ! Martine, Jean et Paul filent sur leur vélo.

– Plus vite ! J'ai hâte de savoir quelle surprise nous attend chez mamie

et papi !

Ils prennent un dernier virage, et voilà la maison.

– Bonjour, les enfants ! dit leur grand-mère en les embrassant.

Le pied à peine posé à terre, Jean s'écrie :

– Maman a dit que tu avais une surprise pour nous !

– Regardez là-bas, dans le champ… répond mamie.

– Des poneys ! s'écrie Paul.

– Ils sont magnifiques… murmure Martine.

– Ouaf, ouaf ! approuve Patapouf joyeusement.

– Venez déposer vos vélos devant la maison, ensuite je vous
les présenterai.

– Leur propriétaire est parti travailler à l'étranger, explique mamie.
Il m'a confié ses poneys pendant son absence. La jument s'appelle
Princesse et son poulain, Sucre d'Orge.

Les enfants s'avancent lentement.
– Attention, Paul ! dit Martine. Il ne faut pas les effrayer !
Mais les shetlands l'observent calmement.
– Incroyable… souffle mamie. D'habitude, Princesse ne laisse
personne approcher son petit.

Mais Patapouf aussi veut voir les poneys de plus près…

– Non, ne t'approche pas ! conseille Martine.

Trop tard ! Sucre d'Orge n'a jamais vu de chien… Aussitôt, il se lance
à la poursuite de cette étrange petite bête !

– Il faut les rattraper !

Les trois enfants retournent voir les poneys dès le lendemain.

– D'abord, explique Martine, il faut gagner la confiance de Princesse.

On va lui mettre un licol et lui montrer qu'on est là pour s'occuper d'elle.

Mais la jument se cabre !

– Aide-moi à tenir la corde, Jean ! Elle va s'habituer…

Martine a raison. Princesse ne tarde pas à se calmer.

– Voilà, n'aie pas peur… Mes frères et moi, on ne veut que ton bien.

Les enfants brossent la jument et lui donnent à manger. Surtout,
ils la couvrent de caresses.

– Ça y est, dit Martine. Princesse est rassurée ! La preuve : elle laisse
Sucre d'Orge s'éloigner un peu.

– Maintenant que les poneys
sont en confiance,
dit Martine, on peut les
faire trotter. C'est important,
pour eux, de se dépenser
un peu tous les jours.
Elle court devant la jument.
– Au trot, Princesse ! Bravo !

Puis elle lance le mot magique :

– Au galop !

Princesse s'élance et file comme le vent. Quel bonheur pour elle,
et quel bonheur pour les enfants !

Aujourd'hui, les enfants vont emprunter
du matériel à leur oncle François, qui tient
un centre équestre. Autour d'eux, les cavaliers
entraînent leurs chevaux au trot et au saut
d'obstacles.

– Il ne faut pas les déranger, prévient Martine
en prenant Paul par la main.

– Promis !

D'ailleurs, ces chevaux-là sont si grands que
le pauvre Paul a un peu peur !

– On peut emprunter une selle et une bride, dit Martine.

Oncle François m'a donné la permission.

– Sans oublier les bombes ! précise Jean.

– Des bombes ? s'étonne Paul. Tu veux nous faire exploser ?

– Pas des explosifs ! s'esclaffe son frère. Une bombe, en équitation,

c'est un casque de cavalier !

De retour chez mamie, Martine pose la selle sur le dos de Princesse.

– Je t'aide à grimper, Paul !
– Oh, c'est haut !

– D'abord, on règle les étriers pour qu'ils soient à la bonne longueur.

– Martine, j'ai peur de tomber…

– Tiens-toi à la crinière de Princesse, ça ne lui fera pas mal. Prêt ?

– C'est parti ! Au pas…

– Très bien, Paul, je suis fière de toi !

Princesse, Sucre d'Orge et les trois enfants sont inséparables,
à présent.

Tous les jours, ils s'amusent
ensemble. Au programme :
roulades dans l'herbe, soins
et caresses…
Mais, depuis quelque temps,
Patapouf a l'air triste.
– Tu te sens délaissé
pendant ces vacances ?
demande Martine. C'est promis :
la journée de demain sera rien que pour toi !

Martine tient toujours ses promesses.
Dès le lendemain matin,
elle brosse Patapouf, le câline
et joue avec lui dans le jardin.
Le petit chien sautille et aboie
gaiement.
Le coup de cafard est passé!

C'est bientôt la fin des vacances.

Les élèves du club de cheval se sont retrouvés sur la place du village pour partir en promenade dans la forêt. Martine, Jean et Paul les accompagnent avec leurs poneys.

– Comme il est mignon… s'émerveillent les autres enfants en voyant Sucre d'Orge.

Princesse est fière de son petit poulain.

Il fait frais dans la forêt et ça sent bon la mousse.

Princesse, chevauchée par Martine, et Sucre d'Orge marchent
tranquillement.

Martine se retourne pour voir ses frères assis dans la carriole à côté
d'oncle François.

– C'est quoi, ce bruit ? demande Paul.

– Un lapin, peut-être ? répond son oncle. Ou un écureuil... Les chevaux
ne risquent pas d'avoir peur, ne t'inquiète pas. Ils ont l'habitude de
marcher dans les bois et de rencontrer d'autres animaux.

Après la promenade, Martine et ses frères
nourrissent leurs poneys.
Patapouf a tellement faim qu'il réclame
son repas lui aussi !
– Sois patient, Patapouf, tu ne vas quand
même pas manger de l'avoine !

Le soir venu, les enfants s'assoient sur une couverture posée sur
l'herbe, oncle François sort sa guitare et entonne une chanson qui
parle des cow-boys et de leurs chevaux.

Il fait nuit. Paul s'est endormi dans les bras de Martine.

– Il faut rentrer, chuchote-t-elle. Maman nous attend.

– Pauvre Paul, il ne pourra pas dire au revoir à Princesse
et Sucre d'Orge…

– Voilà une bonne raison pour revenir dès le week-end prochain !

• Découvre tous les titres disponibles dans
ma mini-bibliothèque **martine** •

martine *fait la cuisine*

martine *à la montagne*

martine *un amour de poney*

martine *petit rat de l'opéra*

martine *apprend à nager*

martine *au cirque*

martine *à la ferme*

martine *princesses et chevaliers*

Et retrouve toutes les aventures de **martine** dans la collection albums !

martine *petit rat de l'opéra*

martine *garde son petit frère*

martine *baby-sitter*

martine *fête son anniversaire*

martine *l'arche des animaux*

martine *protège la nature*

martine *prépare une surprise*

martine *et les quatre saisons*

martine *et le prince mystérieux*

martine *est malade*

martine *à la maison*

martine *fête maman*

Casterman
Cantersteen 47
1000 Bruxelles

www.casterman.com

ISBN : 978-2-203-12587-2
N° d'édition : L.10EJCN000618.C003